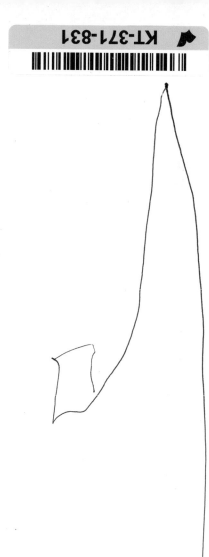

Ce livre
appartient à

RETROUVEZ

DANS LA BIBLIOTHÈQUE ROSE

c'est pô une vie...

même pô mal...

c'est pô croyab'

ZEP

titeuf

c'est pô une vie...

Adaptation : Shirley Anguerrand

HACHETTE

Hachette Livre, 43, quai de Grenelle, 75015 Paris.

Papa avait bien essayé de me faire acheter des pompes de naze, mais j'ai tenu bon.

Le vendeur m'a donné un coup de main pour le convaincre que, de nos jours, on peut pô aller à l'école avec des chaussures pour les petits.

Et je les ai eues !

Ce jour-là, j'étais super-content d'aller à l'école. Ça prouve bien que les chaussures, c'est archi-important pour la culture.

Sur le chemin, j'ai croisé Manu. Je lui en ai mis plein la vue avec mes nouvelles Nike.

Il en bavait d'envie.

Sûr qu'avec des pompes comme ça, pour Nadia, c'était gagné d'avance.

J'aurais presque couru pour arriver plus vite à l'école, mais il fallait que je reste cool. Ça me laissait le temps de penser à ce qui m'attendait...

Dans la rue, tout allait bien, mais par terre dans la classe, c'est du lino.

En entrant, j'ai dit :

« Tchô ! les m...»

Mais j'ai été coupé en plein dans ma phrase...

J'ai bien essayé de marcher comme quand y'a du verglas...

...mais rien à faire : mes sata-nées Nike couinaient comme des souris.

Les copains rigolaient bien. Ils m'ont demandé si j'avais des semelles en peau d'accordéon et ça a aussi fait marrer les filles...

C'était pire que la honte, c'était la méga-honte.

2

On s'était fabriqué des super-
fausses dents en papier pour se
moquer de Jean-Claude avec
son appareil. J'ai pô compris
pourquoi c'est moi qu'il a traité
d'adopté et pas Manu ni Hugo.
Pourtant ils avaient aussi des
fausses dents en papier...

Manu a dit qu'après tout c'était possib' que mes parents m'aient adopté.

Mais ça voulait dire que mes vrais parents m'avaient abandonné. Manu a dit qu'ils étaient peut-être morts.

Robin des Bois ! N'importe quoi ! C'est même pô possib' !

Parce que Robin des Bois, il est mort y'a plus de 500 ans ! Manu a dit que c'est à ça que ça sert de congeler les spermatozoïdes et que du coup, mon père, ça pouvait être Robin des Bois...

Et un millionnaire, même congelé, ça a plein d'argent !
Ça devenait intéressant...

On a cherché qui ça pouvait être d'autre, mon vrai père. Moi j'avais plein de chouettes idées.

C'était peut-être un acteur qui vivait à Nou-iorque, et si ça se trouve, je l'avais déjà vu des tas de fois au ciné dans des films avec des aventures ou des guerres...

Un boxeur, c'était pô mal, mais un agent secret ça me ressemblait plus...

On en a tellement parlé avec Manu que ch'uis rentré en retard à la maison. Mes parents adoptifs m'attendaient à la porte pour me dire que, dis-donc, tu as vu l'heure, et tes devoirs ?

Et pour finir, ils m'ont privé de télé.

3

On était mal. On n'avait
même plus le temps de prépa-
rer des trucs pour tricher.

Ce coup-ci, la maîtresse nous
avait eus en traître.

Peut-être même qu'elle avait
prévu à l'avance l'interro-surprise
et qu'elle avait fait exprès de pô
nous en parler...

Fallait agir. Et vite !

Comme on savait pas comment s'en sortir, Manu a dit qu'on n'avait plus qu'à prier...

On discutait en marchant sur ce qu'on allait dire dans la prière, quand, PAF ! On s'est retrouvés pile devant une église !

Dans l'église, y'avait une bonne sœur qui nous a demandé si elle pouvait nous aider. C'était sympa, mais on a pensé que Dieu saurait mieux quoi faire, alors on l'a cherché...

C'était pô Dieu, mais ça irait quand même.

La sœur est partie et elle nous a laissés avec la mère du Seigneur.

On a commencé à se concentrer...

On savait pas trop si les prières, ça serait assez efficace pour le service qu'on avait à demander.

Alors, on a cherché une idée meilleure et on a trouvé.

On a fait descendre la mère du Seigneur de son socle, et on est partis avec.

Pendant qu'on courait, on a entendu la sœur qui criait « au voleur ! » On a eu chaud, mais c'était notre seule chance que le Seigneur nous écoute...

4

Marco m'a demandé ce qu'il faisait comme genre de travail à la maison, mon père.

J'ai répondu qu'il faisait plein de trucs, mais que, surtout, il lisait beaucoup le journal.

Et que, dans le journal, il lisait plein de trucs, mais surtout les petites annonces...

Je sais pas comment Marco a fait, mais il a deviné tout de suite...

Marco m'a dit que pour faire du terrorisme, il fallait mettre des bombes et faire tout péter et comme ça on t'écoute.

Moi je trouvais que c'était pô forcément pratique...

Et Marco est parti parce que s'il est en retard, son père lui met des coups de pied aux fesses.

Il est hyper-terroriste le père de Marco !

Je trouvais bien l'idée d'écrire sur les murs, et j'étais en train d'y penser quand je suis passé devant une boutique.

Ils faisaient des travaux, et le type qui repeignait le nom du magasin avait laissé son pot de peinture sur le trottoir.

C'était l'occasion de commencer mon terrorisme...

J'ai même pensé à rajouter le téléphone de papa pour qu'ils puissent l'appeler.

Finalement, le terrorisme, c'est pô si compliqué, et puis, ça rend service...

En rentrant à la maison, j'ai rien dit à mes parents de ce que j'avais fait.

Je préférais attendre que quelqu'un lise mon message et téléphone à papa pour un travail. Comme ça, ce serait une super-surprise !

5

SUPERFLASH SENT PLANER
UNE MENACE...

Superflash c'est mon héros à qui j'invente des super-histoires mieux que dans les livres.

Ce coup-ci, la menace qui plane sur Superflash est terrible. Elle est terrible à chaque fois, mais là elle est super terrible, et Superflash la sent venir de loin...

Il regarde autour de lui pour parer à l'attaque de la terrible menace. Mais, trop tard ! Il se retrouve enfermé dans un champ magnétique...

Superflash frappe fort pour briser le champ, mais c'est un champ hyper-puissant.

Superflash sait bien qui l'a piégé ! C'est le Grand Mugul qui a juré de l'éliminer !

Et cette fois, Superflash a peur de ne pas s'en sortir...

Surtout qu'il commence à faire une chaleur insupportable dans le champ magnétique et Superflash a super-chaud...

Il tente encore de s'évader, mais la chaleur est de plus en plus forte et ça ralentit ses super-réflexes.

Maintenant, il fait 100 degrés. Superflash essaie de se protéger, mais la température monte encore, et il commence à fondre...

200 degrés ! 1000 degrés !

Va-t-il survivre ? Non, il fond.

Malgré son super-courage, Superflash est vaincu par le Grand Mugul.

C'est fini. Il ne reste de Superflash qu'une super-flaque de chair fondue...

6

Mon père avait enfin craqué !
Il avait acheté un ordinateur !
Une nouvelle comme celle-là, je
pouvais pô attendre pour
l'annoncer aux copains. J'avais
couru chez François, mais il
avait l'air très occupé devant
son ordinateur.

François, il a eu un ordinateur bien avant moi. Quand je
lui ai dit que j'en avais un aussi,
il a seulement répondu « c'est
bien », comme si c'était pas la
nouvelle du siècle.

Pour que François soit
concentré comme ça, il devait
être en train de faire un super-
jeu.

Il m'a expliqué que, dans son jeu, il fallait cliquer sur des villes. J'ai demandé à François si ça allait faire apparaître un robot et s'il allait tout démolir.

Ça devait pô être la partie la plus drôle du jeu. Il y avait forcément un moment où on pouvait tout exploser !

Après, François a pris un joystick pour piloter un grammaticojet. Mais il avait pas le droit de tirer sur les planètes. Il pouvait seulement exploser celles avec une faute d'orthographe.

Moi, je le trouvais de moins en moins cool, son jeu.

Mais le pire c'était la suite...

J'étais carrément écœuré ! Quand je pense qu'on pourrait avoir des tas de jeux chouettes et qu'il y a des types tordus qui mettent des maths dedans, ça me dégoûte ! Surtout que j'avais comme un pressentiment que c'est un jeu comme ça qu'il allait m'acheter, mon père...

7

Quand on joue au foot, y'en a toujours un qui tape trop fort dans le ballon.

Des fois, on est obligés d'aller le chercher chez le voisin.

Cette fois il était resté coincé en haut d'un arbre.

En équilibre sur une branche, Manu tapait dans le ballon pour le décoincer. Le ballon est tombé, mais Manu a glissé et il est tombé lui aussi.

Il a d'abord atterri à cheval sur la branche d'en dessous...

...et puis il a continué de descendre, jusque par terre où il est tombé en plein sur la tête.

Une branche, ça a pô l'air dangereux comme ça, mais ça dépend où on se la prend. Et Manu, on comprenait bien pourquoi il se tordait par terre...

Manu nous écoutait pas trop, il se tenait là où il avait mal et il essayait de respirer. Nous, on attendait de voir les dégâts.

Et tout à coup, qu'est-ce que je vois sur la tête de Manu ?! Une énorme bosse rouge !

Le choc sur la branche avait été tellement violent qu'il en avait une qui lui était remontée jusqu'à la tête ! Pôv' Manu !

Fallait agir avant qu'elle reste là-haut à vie. Hugo a tout de suite pris les choses en main...

Il a frappé presque aussi fort que la branche.

Manu s'est mis à hurler et la bosse était toujours là.

Comme on savait plus trop comment la faire redescendre et que Manu criait comme c'est pô possible, on a décidé de l'emmener à l'hôpital. Là-bas, ils avaient le matériel qu'il faut.

8

Papa, il est toujours content de rentrer à la maison.

Cette fois, je l'entendais même siffloter sur le palier depuis ma chambre.

Il a ouvert la porte et comme d'habitude il a dit :

« Bonjour tout le monde ! »

Et puis j'ai entendu un bruit comme quand on casse un vase...

Maman s'est mise à crier et là, j'ai compris qu'elle avait fait exprès de casser le vase.

Elle a demandé à papa comment allait Simone, et elle avait pô l'air content du tout.

Elle avait trouvé la photo d'une fille dans la poche de papa. La fille s'appelait Simone et elle avait écrit sur la photo : « Je t'attends, mon petit rougnougnou ».

Papa continuait de rien y comprendre...

Mais maman ne voulait rien savoir, et je me disais que si ça continuait comme ça, ils allaient divorcer et moi j'irais vivre chez ma cousine Julie.

Maman a montré à papa toutes les fautes d'orthographe qu'elle faisait, Simone...

Et puis je les ai plus enten-
dus pendant un long moment
comme s'ils avaient compris
quelque chose...

9

Demander à une fille de prêter sa Barbie, c'est pô facile, elle refuse à tous les coups.

C'est comme si une fille nous demandait de jouer avec nous : n'importe quoi !

En tout cas, si je voulais une Barbie, fallait bien que j'essaie.

J'ai fait le tour de toutes les filles de la classe, et à chaque fois : même réponse.

Lisa, elle a même cru que j'étais fou. Et évidemment, elle a dit non.

Il restait plus que Nadia, et lui demander ça, à elle, c'était dur, à cause de ma fierté...

Mais j'ai tenté quand-même...

Alors, j'ai joué ma dernière carte : mémé.

Quand on va faire des courses au supermarché avec mémé, si y'a un truc qui me plaît, elle finit toujours par me le payer.

On a d'abord acheté ce qui se mange, et quand c'était le bon moment, j'ai pris mon air le plus naturel et j'ai demandé :

Mémé a d'abord fait une drôle de tête comme si je lui demandais une robe ou une dînette.

Elle m'a demandé ce que je voulais faire avec une Barbie, et elle a dit que c'était pour les filles. Comme si je le savais pô !

En tout cas, elle m'a emmené dans un rayon du magasin où y'avait pas de Barbies...

Je le savais depuis le début
que c'était mission impossible,
mais quand même, impossible à
ce point-là, j'aurais pas imaginé.

Et j'ai pô eu ma Barbie.

Je comprenais pourquoi
Mémé trouvait ça bizarre que je
lui demande un truc pareil,
mais je pouvais quand même
pas lui expliquer !

10

Les types qui nous attrapent toujours à la sortie de l'école étaient encore là.

Mais cette fois, c'est à Nadia qu'ils s'en prenaient.

Quelle bande de lâches !

Ils lui faisaient peur pour lui piquer son croissant du goûter.

Et moi, j'aime pô qu'on embête Nadia.

Alors je me gonfle de colère et je me transforme en super-malabar invincible, et je leur éclate la tête à tous ces minables.

Et Nadia qui voit tout, elle est super-impressionnée.

Je suis carrément son héros, et elle se met derrière moi pour que je la protège.

Et elle dit « Oh, Titeuf ! » parce qu'elle est épatée.

Moi, je fais un rempart avec

tout mon tas de muscles et je
lui dis :

La classe, quoi.

Cette fois-ci, j'ai fait pareil, je
me suis mis devant Nadia pour
faire un rempart avec mes
muscles, et j'ai dit ma phrase :
« Tant que je suis là, tu n'as rien
à craindre. »

Mais...

N'empêche, ça aurait dû marcher...

11

Hugo a eu son premier poil.
Il en a fait toute une histoire.

Quel frimeur, ce Hugo !

Il a même failli ouvrir son
pantalon pour nous le montrer.

Il était vraiment prêt à tout
pour nous en mettre plein la
vue.

Nous, on s'en foutait avec Manu mais Hugo, il fallait qu'il en rajoute...

Il avait l'air tout fier de son poil. Il nous a traités de mioches et il s'est appuyé au mur comme les types dans les ouesterns quand ils ont fini de tuer tous les ennemis dans le saloon.

Y'a un groupe de filles de la classe qui est passé et dans le groupe de filles, y'avait Nadia.

Hugo leur a dit « salut les filles », comme si elles étaient toutes amoureuses de lui, même Nadia.

Les filles, elles n'ont rien dit. Elles ont juste fait «Hi ! Hi !» et Hugo en pouvait plus...

Avec Manu, on est rentrés chez moi super-énervés.

Hugo, il ferait moins le malin quand il verrait qui étaient les petits mioches.

J'ai un peu fouillé dans les placards et j'ai trouvé ce qu'il nous fallait. On s'est mis tout de suite au travail :

Maman est arrivée pour voir à quoi on s'amusait.

Elle a hurlé comme si on lui tirait les cheveux.

Je sais pô pourquoi elle s'est mise dans cet état, parce que ça se voyait à peine qu'il manquait une manche à son manteau de fourrure...

En tout cas, Hugo, il avait raison sur un point...

12

Papa avait un rendez-vous dans un immense immeuble.

Il a pô voulu que je monte avec lui, alors il a fallu que je l'attende en bas, en étant sage.

Au début, je l'attendais tranquillement.

Au moment où je commençais à me demander combien de temps j'allais rester là, Manu est arrivé.

Manu m'a dit qu'il croyait que mon père était au chômage. Alors je lui ai expliqué que papa avait décidé de changer parce que ça rapportait pô assez.

On a discuté seulement deux minutes et Manu a voulu partir.

Et voilà ! Moi j'étais planté là pendant que Manu allait regarder Captain Overdead !

Si j'attendais papa comme ça encore longtemps, j'allais rater le début, c'était sûr !

Alors j'ai décidé d'aller chercher papa.

Dans le grand immeuble, y'avait plein de bureaux.

C'est une dame gentille qui m'a dit où était papa.

Elle m'a même accompagné pour m'ouvrir la porte.

Papa discutait avec un monsieur, il a pô eu l'air très content de me voir...

Papa est devenu tout rouge et il m'a dit de retourner l'attendre dehors. Quand j'ai demandé pourquoi il partait pas plus tôt comme il faisait avant, papa a fait une drôle de tête et le monsieur aussi...

En sortant, papa avait pô l'air content de son rendez-vous...

13

C'est pas que j'avais pô d'idée de cadeau pour Nadia, c'est plutôt que j'avais plus trop d'argent de poche pour lui en acheter un beau.

Manu m'a dit que dans un grand magasin je trouverais plein d'idées chouettes.

Alors on y est allés. Manu avait l'air vachement habitué. Il m'a d'abord emmené au rayon des parfums.

J'avais pas envie d'acheter un parfum qui pue pour Nadia. Et de toute façon j'avais même pô assez de sous pour ça.

Après on est allés voir les disques. Y'avait pleins de CD qui auraient plu à Nadia mais à des prix pô possib' !

Manu croyait que je cherchais une idée, alors il essayait de m'aider.

Je voyais bien que je trouverais rien avec mes sous...

Manu continuait de se balader dans les rayons en me proposant des tas de trucs bien.

Au rayon des livres, y'avait des chouettes albums que j'aurais bien offerts à Nadia mais que je pouvais pas acheter avec mes sous. Et ceux que j'aurais pu acheter, j'aurais jamais osé les offrir à Nadia...

Manu a commencé à en avoir marre et il m'a demandé de finir par trouver une solution pour le cadeau de Nadia.

Des solutions, y'en avait que deux. La première c'était d'offrir un cadeau pourri à Nadia et ça, il en était pô question. Alors j'ai dit à Manu la seule solution qui restait...

C'est des super-céréales qui croustillent. Celles que je mange c'est les *Jurassic Flakes*.

C'est un chouette paquet vert avec un dinosaure dessiné dessus. Je mange pô les autres céréales même si elles sont bonnes.

Parce que dans les *Jurassic Flakes*, y'a un animal préhistorique en cadeau, et moi, je fais la collec'.

J'en ai déjà beaucoup mais il m'en manque des chouettes. C'est pour ça que j'aime bien ouvrir un nouveau paquet de céréales.

Et des fois, je suis super déçu parce que dans le paquet y'a un dinosaure que j'ai déjà.

De temps en temps, j'arrive à m'arranger avec un copain qui fait aussi la collec', mais ça marche pas à tous les coups...

Alors la seule solution, c'est d'acheter d'autres paquets.

Quand on va faire les courses au supermarché, j'oublie jamais mes *Jurassic Flakes*.

Jusqu'ici, j'arrivais toujours à me faire payer un nouveau paquet parce que les parents oubliaient qu'ils me les avaient déjà achetées.

Mais cette fois, papa s'est pô fait avoir...

Il ne me restait plus qu'à manger toutes les boîtes de céréales.

Un matin, j'en pouvais plus, tellement j'en avais mangé pour finir le paquet plus vite.

Je suis parti à l'école avec le ventre plein à craquer mais je tenais le coup...

Jusqu'à ce qu'Hugo arrive...

Table

Rejoins la bande

Franky snow

BUCHI

Franky snow

Glénat

Samson néon

Samson néon

Glénat

Malika Secouss

Malika Secouss

Glénat